JN139546

「五つの敬語」第四巻

丁重語（ていちょうご）

「五つの敬語」第四巻
丁重語

目次…………2

本書で○×△などの記号で説明している部分がありますが、これは「正しい」「誤り」などを明確に指摘するものではなく、敬語の基本の使い方として適切なもの、そうではないものを示しています。
敬語は、相手に対する敬意を示す言葉で自己表現となりますので、完全な正解、不正解という判断はなじみません。

丁重後の基本は相手に対し自分を下げることです。

「丁重語」は、自分（自分側）が改まることにより相手に対し丁重に表現する敬語

「丁重語」も「謙譲語」の仲間ですが、「謙譲語」は、自分の動作が向かう先の人を上げるための敬語でした（第三巻P5）。「丁重語」は自分の動作が向かう先があってもなくても、相手に対する自分の改まった気持ちを表現し、丁重さをもたらす敬語です。

●常体語「行く」の場合、「謙譲語」では「伺う」
「先生の家に伺います」（「自分の動作が向かう先」の先生を上げている）。

●常体語「行く」の場合、「丁重語」では「参る」
「先生の家に参ります」（自分の「行く」という動作を改まって丁重に述べている）。

丁重語は「相手」に対する敬語です。

「丁重語」の「特定形」「参る」「申す」「いたす」「おる」「存じる」

「海外へ行きます」（丁寧語）を「海外へ参ります」（丁重語）と言いかえると、動詞「行く（行きます）」の「特定形」である「参る（参ります）」を使うことで、自分の行動を話や文章の相手に対して、改まった気持ちを表現する敬語となります。

「丁重語」には、「特定形」の動詞が左ページのようにあります。必ず語尾に「ます」を付けて「参ります」、「申します」、「いたします」、「おります」「存じます」となります。

「丁」の意味

「丁」には、「手厚い」という意味があります。「寧」には、「ねんごろ」＝「心がこもった」という意味があります。「丁寧」は、「動作や言葉づかいが礼儀正しく心がこもっていること(さま)」、「丁重」は、扱いなどが心がこもっていて礼儀正しく手厚いことを意味します。

●「丁重語」の「特定形」
常体語(じょうたいご)→丁重語

「行く」→「参る」（参ります）
「言う」→「申す」（申します）
「する」→「いたす」（いたします）
「いる」→「おる」（おります）
「知る」→「存じる」（存じます）

「丁重語」の「特定形」「行く」→「参る」（参ります）

「丁重語」は、基本的には「相手」に対して「自分（自分側）」の行動を改まって言う場合に使います。「自分側」とは、自分の身内（家族、兄弟など）、社会的に同じ部署の人間（同僚、上司など）です。一部、例外的にだれとは特定しない第三者や自然にも使うことがあります（P32）。動詞の形としては「参る」ですが、実際には「ます」を付けて「参ります」の形で使う場合がほとんどです。

「参りました」「参ります」

言葉は、いくつもの意味を持ちます。左ページの文例で「参りました」を、「降参する」「困る」「弱る」という意味に混乱しないようにしましょう。ここは「行く」という意味です。

また「参ります」を、神社やお寺にお参りに行くことと混乱しないようにしましょう。こちらも「行く」という意味です。

●丁重語の「特定形」：「行く」→「参る（参ります）」

常体語（じょうたいご）→丁重語

「私は、明日から修学旅行（しゅうがくりょこう）に行く」→

「私は、明日から修学旅行に参ります」

「クラスの同級生といっしょに来た」→

「クラスの同級生といっしょに参りました」

「奈良の有名なお寺にも行く」→

「奈良の有名なお寺にも参ります」

「丁重語」の「特定形」
「言う」↓「申す」(申します)

「言う」という動詞は、「丁重語」の「特定形」としては、「申す」(申します)に変化します。ここでも「自分側」の行動に使うことが基本であることを確認しましょう。

「自分側」とは、自分の身内(家族、兄弟など)、社会的に同じ部署の人間(同僚、上司など)です。

●丁重語の「特定形」：「言う」→「申す」（申します）

常体語（じょうたいご）→丁寧語（ていねいご）→丁重語

「私の名前は○○と言う」→

「私の名前は○○と言います」

「私の名前は○○と申します」

「父はそのように言う」→

「父はそのように言います」

「父はそのように申します」

●カンちがい「丁重語」「申す」↓「申し上げる」×

「謙譲語」は「言う」という動作が向かう相手（先生）を上げる（立てる）敬語ですが、左ページの例の場合、母の「言う」という動作が向かう先がありませんから「謙譲語」の「申し上げる」は使えません。「言う」の「丁重語」である「申す（申します）」を使って、自分の母を改まらせた「母が参観日に出席すると申しました」が適切な表現ということになります。

「申し上げる」は、謙譲語です。

常体語（じょうたいご）→丁寧語（ていねいご）→丁重語

「母が参観会に出席すると言った」↓

「母が参観会に出席すると言っていました」↓

「母が参観会に出席すると申し上げました」×

※ただし、自分が誰（だれ）か（相手）に向かって、このように言う場合は、自分からその相手に向かう動作「言う」を謙譲語の「申し上げる」を使って、表現することはできます。

「母が参観会に出席すると申しました」○

「丁重語」の「特定形」
「する」→「いたす」(いたします)

「する」という動詞(どうし)は、「丁重語」の「特定形」では、「いたす」(いたします)に変化します。「いたす」という動詞で使用する場合は少なく、「いたします」で使用する場合がほとんどです。

「する」は、
「いたします」に
変化します。

●「丁重語」の「特定形」：「する」→「いたす」（いたします）

常体語（じょうたいご）→丁寧語（ていねいご）→丁重語

「救護用品（きゅうごようひん）を準備（じゅんび）する」

「救護用品を準備します」

「救護用品を準備いたします」

「私（わたし）は、連絡係（れんらくがかり）を担当する」

「私は、連絡係を担当します」

「私は、連絡係を担当いたします」

「丁重語」の「特定形」
「いる（居る）」→「おる（居る）」（おります）

「いる（居る）」という動詞は、「丁重語」の「特定形」では、「おる（居る）」（おります）に変化します。「おる（居る）」という動詞で使用する場合は少なく、「おります」で使用する場合がほとんどです。

「いる」「おる」は、「おります」に変化します。

「おる（居る）」は、自分の動作を下げるときに使われる言葉です。このため、「尊敬語」として使うと相手に失礼にあたります（第二巻P10）。

●「丁重語」の「特定形」…「いる」→「おる」（おります）

常体語→丁寧語→丁重語

「明日は、家にいる」

「明日は、家にいます」

「明日は、家におります」

「私は、放送部に所属している」

「私は、放送部に所属しています」

「私は、放送部に所属しております」

「丁重語」の「特定形」
「知る」→「存じる」「存じ上げる」

「知る」という動詞は、「丁重語」の「特定形」では「存じる」「存じ上げる」に変化します。

「存じる」「存じ上げる」は、その動作が向かう先に上げるべき人がいなくても使う「相手」に対するへりくだりの気持ちを表す「丁重語」です。

実際に使うときは、「存じます」「存じています」「存じ上げます」「存じ上げています」と、「丁寧語」の「ます」を付けて使います。

「知る」は、「存じる」「存じ上げる」に変化します。

●丁重語「特定形」：「知る」→「存じる」「存じ上げる」

常体語（じょうたいご）→丁重語

「よく知っている」→
「よく存じている」→
「よく存じています」

「先生を知っている」→
「先生を存じ上げる」→
「先生を存じ上げています」

自分の立場を控えめに表現する「丁重語」

「丁重語」の「特定形」では、動詞以外に名詞についても、自分側に関することを控え目に表す語があります。これらは、名詞の「丁重語」ということができます。話し言葉では発音からだけでは意味が分かりにくいので、ほとんどが書き言葉で使われます。「弊」「小」「拙」「愚」「粗」「寸」「薄」「無」「凡」「不」などをつけて、自分や自分の側を下げて改まる（謙遜）姿勢を表します。

話し言葉で聞いても分からない言葉ばかりだね。

「弊」：やぶれる、ぼろぼろになる＝弊社、弊屋、弊紙

「小」：小さい＝小社、小職、小子

「拙」：つたない、へた＝拙宅、拙者、拙文

「愚」：おろかだ、ばかげている＝愚妻、愚息、愚才

「粗」：大ざっぱで、きめ細かでない＝粗品、粗餐、粗景

「寸」：ごく短い、ごく少ない＝寸志、寸書

「薄」：少ない、十分でない＝薄謝、薄給

「無」：ない、存在しない、むなしい＝無学、無芸、無才

「凡」：ありふれている、並の、世俗の＝凡才、凡愚、凡夫

「不」：…でない、…しない＝不躾、不（無）作法

「丁重語」の名詞 意味を知っておこう

前のページで学んだ「丁重語」の名詞の意味は次のようになります。これらは、謙遜する（へりくだる）ことで自分側の物や人について「下げて」いる言葉です。

丁重語の名詞、自分側を下げる言葉です。

弊社（へいしゃ）	自分の会社を下げる表現。
弊屋（へいおく）	あばらや、自分の家を下げる表現。
弊紙（へいし）	自社の新聞を下げる表現。
小社（しょうしゃ）	自分の会社を下げる表現。
小職（しょうしょく）	仕事の世界で自分を下げる表現、
小子（しょうし）	自分を下げる表現。
拙宅（せったく）	自分の家を下げる表現。
拙者（せっしゃ）	自分を下げる表現。
拙文（せつぶん）	自分の文章を下げる表現。
愚妻（ぐさい）	自分の妻を下げる表現。
愚息（ぐそく）	自分の息子を下げる表現。
愚才（ぐさい）	自分の才能を下げる表現。
粗品（そしな）	粗末な品。人に贈る品物を下げる表現。
粗餐（そさん）	粗末な食事。他人に勧める食事を下げる表現。

「丁重語」の名詞 ほとんどが手紙や文章で使います

「弊」「小」「拙」「愚」「粗」「寸」「薄」「無」「凡」「不」などが付く言葉は、会話ではあまり使用しません。ほとんどが、手紙、文章で使用する言葉です。社会生活で使うことがありますので、知っておくといいでしょう。

会話で使うと固い言葉です。

粗景（そけい）	粗末な景品。商店で出す景品を下げる表現。
寸志（すんし）	心ばかりの贈り物。自分の贈り物を下げる表現。
寸書（すんしょ）	短い手紙。自分の手紙を下げる表現。
薄謝（はくしゃ）	わずかばかりの謝礼。謝礼の金品を下げて言う表現。
薄給（はっきゅう）	給料の少ないこと。自分の収入を下げて言う表現。
無学（むがく）	学問、知識の無いこと。自分の才能を下げる表現。
無芸（むげい）	自分の身に付いた技術や芸が何もないこと。
無才（むさい）	才能のないこと。自分才能を下げる表現。
凡才（ぼんさい）	平凡で優れた才能の無いこと。自分を下げる表現。
凡愚（ぼんぐ）	平凡で愚かなこと。自分を下げる表現。
凡夫（ぼんぷ）	平凡な人、普通の人。自分を下げる表現。
不躾（ぶしつけ）	礼を欠くこと、。自分を下げる表現。
不(無)作法(ぶさほう)	礼儀を知らないこと。自分を下げる表現。

●「謙譲語」か「丁重語」か？より丁寧に表現する方法は

「先生のところに行く」という「常体語」を敬語に変換する場合、上げるべき向かう先がある場合に限って使える「謙譲語」で相手（先生）を上げて「先生のところに伺います」と表現できます。

一方、行くことを、相手（先生）に対して自分が改まる気持ちを伝える「丁重語」を使って「先生のところに参ります」と言うこともできます。

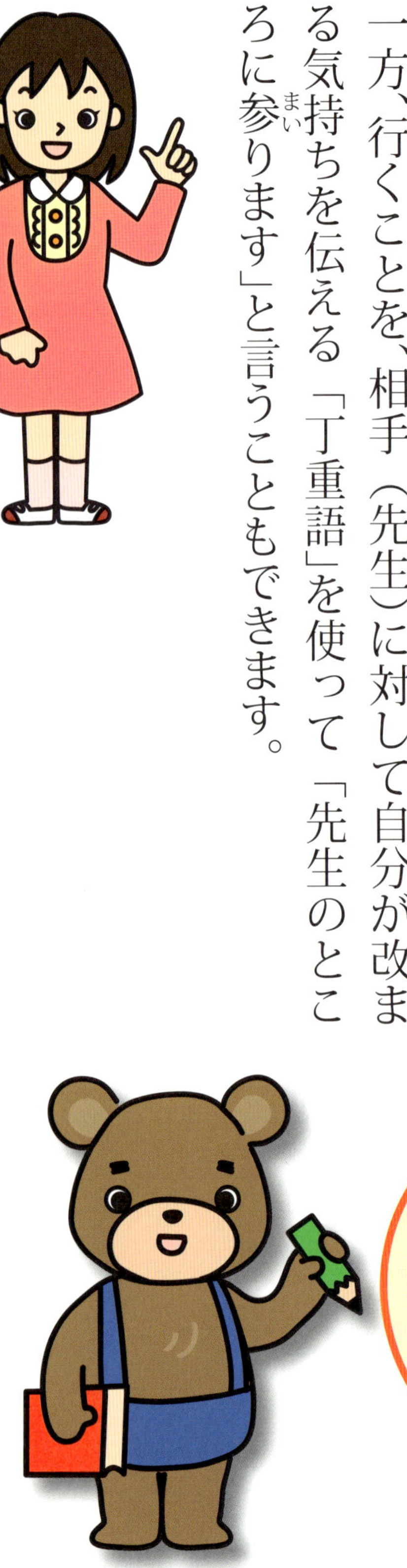

●どちらも正しい敬語です

「先生のところに伺います」◯

敬うべき向かう先である先生を上げている（謙譲語）

「先生のところに参ります」◯

自分側が改まることにより
相手（先生）に丁重に述べている（丁重語）

先生のところに
行きます。
伺います。
参ります。

●カンちがい「丁重語」だれに対する敬語(けいご)か？

「丁重語」は、自分を改まらせて下げ、結果として、今、自分が話している「相手」を上げる敬語です。その場にいない第三者（左のページの例では、田中先生や弟）に対する「丁重語」ではありません。

だれに対しての丁重語か確(たし)かめて下さい。

謙譲語(けんじょうご)「伺(うかが)います」の場合

左ページの例で、上げるべき向かう先である田中先生への敬意(けいい)を伝えるためには、謙譲語「田中先生のところに伺います」を使います。「弟のところに伺います」は、弟は上げるべき対象ではないので、謙譲語「伺います」は使えませんから適切(てきせつ)な表現ではありません。

●話している相手：恩師の村山先生
●明日行く先：恩師の田中先生

■「村山先生、明日、私は……」

（1）「田中先生のところに参ります」○

丁重語の「参ります」で上げる相手は村山先生。村山先生に対する丁重語としては適切です。田中先生に対する丁重語ではありません。

（2）「弟のところに参ります」○

「参ります」は、自分の弟を上げているわけではなく、村山先生に丁重語で伝えているという表現です。

職場での会話 上司、同僚、部下の関係

左ページの文例では、社長、自分、部下という三つの立場が登場します。これも誰に対する敬語かということがポイントになります。

この場合、敬語の相手先は社長です。社長を上げる立場で、「そのように部下に言っておく」ということを「申す」という「丁重語」を使って「申し伝えます」「申し伝えておきます」と改まって表現したものです。

職場での敬語表現は、役職に従って上位の立場の人に敬語を使います。

「社長は出かけて
いらっしゃいます」

お客様から「社長さんはいらっしゃいますか」と尋ねられたら、社長は自分側の人間なので、お客様には、「丁重語」で、「社長は出かけて（外出して）おります」と答えます。

「出かけている」↓
「出かけておる」↓
「出かけております」

■社長から課長である私に、「部下に報告をもっと積極的に出せと指示しておくように」言われたときの返事は

「はい、そのように申し伝えておきます」◯

「はい、そのように申し伝えます」◯

■部下には社長に対する尊敬語を使って

「社長が、もっと報告を出すようにおっしゃっていたよ」◯

主語が自分（自分側）でない「丁重語」
聞き手（読み手）に丁重に伝える

「丁重語」は、自分（自分側）が相手（相手側）に行うことを改まり、丁重に表現する敬語ですが、そうではない場合があります。

自分（自分側）でも、相手（相手側）でもない第三者や、生き物でないものを主語にした形です。聞き手や読み手に、より丁重に聞こえたり、読めたりするように使われます。

丁重語では、生き物でない物を主語にすることもあります。

常体語（じょうたいご）→丁重語

「出席者は、すでに会場に到着（とうちゃく）している」→

「出席者は、すでに会場に到着しております」

※主語の「出席者」は、自分でも相手でもない、第三者です。

「いちだんと秋が深まってきた」→

「いちだんと秋が深まって参りました」

※主語の「秋」は、自分で相手でも、生き物でもありません。

「丁重語」「謙譲語」両方の性質を持つ敬語『「お」「ご」……いたす』

「丁重語」と「謙譲語」は、異なる種類の敬語ですが、両方の性質を併せ持つ場合があります。「お（ご）……いたす」の構文です。

左ページの例文では、「待つ」の代わりに「お待ちいたす」が使われています。

これは、「お待ちする」の「する」を、さらに「いたす」に代えたもので、「お待ちする」（謙譲語）と「いたす」（丁重語）の両方が使われています。

この場合、「お待ちする」の働きにより、「待つ」の「謙譲語」が向かう先の相手側である「先生」を上げるとともに、「いたす」の働きにより、自分側を下げていることにもなり、上げると下げる両方の性質を持つ敬語です。

「駅で先生を待つ」（常体語）

「駅で先生を待ちます」（丁寧語）

「駅で先生をお待ちします」（謙譲語）

「駅で先生をお待ちいたします」（謙譲語＋丁重語）

「丁重語」「謙譲語」両方の性質を持つ敬語。

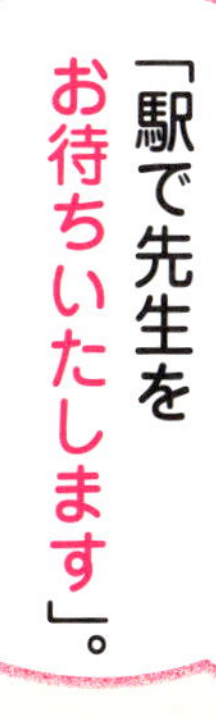

「丁重語」の「一般形」『「お」「ご」……（さ）せていただく』

『「お」「ご」……（さ）せていただく』という構文があります。これは、自分側が行うことを、（ア）相手側または第三者の許可を受けて行い、（イ）そのことで恩恵を受けるという事実や気持ちのある場合に使われます。

「させていただく」は丁重語になります。

●『お（ご）……（さ）せていただく』

「ご注文を取らせていただけますか」○

注文をとる人＝自分（自分側）が許可を求めたいという気持ちが強く、また注文を取ることによる恩恵が大きいと考えられる場合は適切です。

「それでは、発表させていただきます」△

文章として誤りではありませんが、「発表いたします」で「丁重語」となっていますので、特別に許可を得なければ発表できない場合以外は、「発表いたします」の方が簡潔です。

●カンちがい「丁重語」『「お」「ご」……（さ）せていただく』

P36を読むと、『「お」「ご」……（さ）せていただく』を用いた表現には、適切な場合と、あまり適切だとは言えない場合とがあることが分かります、カンちがい敬語ともなりやすいので、慎重に使いましょう。

「させていただく」は、
慎重に
使いましょう。

●『お(ご)……(さ)せていただく』

「お休みさせていただく」△

『「お」「ご」……する』を使って自分を下げて「お休みします」とする方が簡潔(かんけつ)です。

「私は、○○中学を卒業させていただきました」△

普通(ふつう)「卒業」は、許可(きょか)を受けて実現(じつげん)することでもないので、丁重語「いたす」の「卒業いたしました」の方がよいでしょう。

●カンちがい敬語(けいご)
自分と部長とお客様

仕事の世界では、家庭や学校、友達との会話とは別の言葉、敬語が必要になります。大人になって必要な言葉ですから、普段(ふだん)から学んでおくとよいでしょう。上司は自分にとっては、上げるべき対象です。しかし、お客様に対しては、上司は自分側の人ですから下げて表現(ひょうげん)します。この三人の関係は、カンちがい敬語の中でもたくさん事例として登場します。

■お客様から会社に電話がありました

（お客様）「中村部長は、いらっしゃいますか？」

（私）「中村部長ですね。社内にいらっしゃいます」×

名前＋役職名は敬称を付けたことになり（第二巻P46）、また、「いる」の「尊敬語」である「いらっしゃる」（第二巻P8）で、中村部長を上げてしまいました。中村部長は、同じ会社の人（身内）なので、お客様に対しては、自分側での「身内」として下げて伝えるのが敬語の基本です。

（私）「部長の中村は、社内におります」○

「いる」の「丁重語」「おる」（P16）で、中村部長を自分側、つまり「身内」として下げて伝えていますので、本来の敬語の使い方です。「中村部長」としなかったのも適切です。

●カンちがい敬語 自分と部長と社長

左ページの例は、「謙譲語」と「丁重語」の区別がついていないために起こる適切でない例です。「申し上げる」は、立場が下の人から上の人に向かって「言う」ときに使う「謙譲語」です。

自分が上司に直接何か言う場合は「申し上げます」でいいのですが、左ページの場合、敬意を払うべきなのは電話をしてきた社長なので、部長のさらに上司の社長に対して、部長を上げる「尊敬語」を使うべきではありません。「丁重語」の「申す（申します）」で、「申しておきます」または「申し伝えておきます」が適切な敬語の使い方です。

■社長から私に電話がありました

（社長）「中村部長は、席にいますか？」

（私）「部長は、席を外しております」○

（社長）「中村部長に、応接室に来るように伝えて下さい」

（私）「かしこまりました。部長に申し上げておきます」×

この場合、社長に対しては、自分も部長（自分側）も下げて伝える必要があります。部長を上げてしまっていますので、敬語としては適切ではありません。

（私）「かしこまりました。中村部長に申し伝えておきます」○

●カンちがい敬語
目上の人に失礼とされる敬語

主にビジネス社会でのことですが、目上の人に失礼とされる言葉があります。本来の言葉の由来、意味などから適切でないと言われる場合が多いのです。

しかし、言葉は時代とともに変わります。「構わない」と考える人もいる一方で、「失礼だ」と感じる人も少なくありませんので、社会に出たときには、注意すべき敬語表現です。

●「了解です」「了解しました」△

本来、上の立場の人が、下の人に使う言葉とされ、上司に使うのは失礼と言われます。

「かしこまりました」○

「承知しました」○

●「ご苦労さまです」△

こちらも、上の立場の人が、下の人に使う言葉とされ、上司に使うのは失礼と言われます。最近は、上の人に言うときは「お疲れさまです」「お疲れさまでした」がよいとされます。

「お疲れさまです」○

「お疲れさまでした」○

●カンちがい「丁重語」敬語の多用は、避けます

敬語は、その人の知っている言葉や、時代によって、受け止め方が異なります。とくに「丁重語」の名詞は、書き言葉で使われるので、日常生活の会話で多用すると大げさに聞こえたり、卑屈(必要以上に自分を貶めること)に感じられたり、違和感を持たれる場合があります。「丁重語」に限らず敬語の多用は避ける方がよいでしょう。

敬語は使い過ぎな
いようにね。

●「丁重語」の多用は、違和感がある場合も。

（丁寧語）

「私の家で、妻が食事を用意しました。
私と息子とともにお待ちしています」

（丁重語）

「拙宅にて、愚妻が粗餐を用意いたしました。
拙者、愚息とともにお待ちしております」

（丁重語の名詞・五語）

たいへん丁重ですが、美味しそうな食事や
あたたかいおもてなしが想像できるでしょうか？

「五つの敬語」第四巻
丁重語

参考資料
『敬語の指針』文部科学省文化審議会答申　平成 19 年 2 月 2 日
『放送で使われる敬語と視聴者の意識』（NHK 放送文化研究所）
『敬語速効マスター』鈴木昭夫（日本実業出版社）
『敬語の使い方』ミニマル＋ BLOCKBUSTER　監修：磯部らん（彩図社）
『カンちがい敬語の辞典』西谷裕子（東京堂出版）
『小学生のまんが敬語辞典』山本真吾監修（学研教育出版）
『マンガでおぼえる敬語』齋藤孝（岩崎書店）
『笑う敬語術』関根健一（勁草書房）
『大辞林（第三版）』（三省堂）

2016 年 12 月初版
2016 年 12 月第 1 刷発行

監　修　小池　保
制　作　EDIX
イラスト　田中　美華

発行者　齋藤　廣達
編　集　吉田　明彦
発行所　株式会社 理論社
〒 103-0001　東京都中央区日本橋小伝馬町 9-10
電話　営業 03-6264-8890　編集 03-6264-8891
URL http://www.rironsha.com

印刷・製本　図書印刷株式会社

ISBN978-4-652-20184-8 NDC815 B5判　27cm 47p